Premiers pas

avec
Joseph Wresinski

Gwennola Rimbaut

Premiers pas

avec

Joseph Wresinski

SAINT-LÉGER ÉDITIONS

notre catalogue complet sur

saintlegerproductions

Préface
de Jean Tonglet[1]

Marcher avec le père Joseph Wresinski, marcher avec les plus pauvres, n'est pas une sinécure. Le chemin est difficile, rocailleux, pentu, plein de pièges. On croit avoir compris et on découvre qu'on n'avait rien compris. Tant d'idées préconçues, de préjugés, d'idées fausses nous habitent. Il faut renouveler notre regard, notre pensée,

1. Volontaire permanent du Mouvement ATD Quart Monde depuis 1977, Jean Tonglet se consacre actuellement à l'édition et à la diffusion des œuvres du fondateur du Mouvement, le père Joseph Wresinski.

et, pour trouver le bon cap, changer de boussole, prendre de nouveaux guides, chercher de nouveaux repères, de nouvelles prises.

Sur ce chemin, ce petit livre s'offre à vous comme une rampe de lancement, une sorte d'échauffement avant une longue marche, qui sans doute n'aura jamais de fin. Il s'agit en effet d'accompagner vos premiers pas, afin de partir d'un bon pied, ni trop vite, ni trop lentement, mais d'emblée dans la bonne direction.

Comprendre, connaître et aimer les plus pauvres, et lutter avec eux pour leur libération de la misère et de l'exclusion, tel est le but, l'horizon de notre marche.

Joseph Wresinski, le père Joseph, que ce livre vous permettra de découvrir ou de redécouvrir, se présente à nous, au début de ce chemin, comme un guide. Il connaît ce monde, d'expérience personnelle, puisqu'il en est lui-même issu. Il le connaît car sa vie durant il n'a cessé de le fréquenter, de se mettre lui-même à son école, d'apprendre de ce peuple de la misère auquel il a donné le nom de Quart Monde.

Mettre nos pas dans ses pas nous permettra d'éviter les embûches, les fausses pistes, les réponses généreuses mais inadéquates. Ce compagnonnage nous permettra peut-être aussi de tenir bon, d'affronter le découragement, de garder la confiance en un avenir meilleur. Quand nous aurons l'impression que, décidément, rien ne change, le père Joseph sera là pour nous rappeler le message des enfants de la misère comme Raymonde qui lui disait : « Quand je serai grande, je ferai comme toi, j'apprendrai aux gosses à lire et à écrire ». Face à cet appel de Raymonde, le père Joseph affirmait sa conviction tranquille : « Le monde changera un jour. Une nouvelle humanité sans misère verra le jour, puisque nous le voulons »[2].

Alors marchons, lançons-nous, sur les pas de cet homme qui ouvre nos yeux sur une réalité que parfois nous préférerions ne pas voir.

Merci à Gwennola Rimbaut d'avoir accepté relever le défi de rendre, en quelques pages et dans un format ramassé, l'essentiel de la vie, de l'action et de la pensée du père Joseph Wresinski.

2. Joseph Wresinski, *Paroles pour demain*, p. 23, Desclée de Brouwer, 1986.

JOSEPH WRESINSKI, EN QUELQUES DATES

1917 : Naissance le 12 février, à Angers.

1929 : Joseph obtient son Certificat d'études et débute l'apprentissage en boulangerie-pâtisserie.

1934 : Joseph reprend des études au petit séminaire de Beaupréau (Maine-et-Loire).

1937 : Service militaire obligatoire qui sera prolongé par la guerre.

1940 : Joseph fait prisonnier, s'évade le 11 juin et poursuit ses études au séminaire.

1946 : Joseph devient prêtre le 29 juin, son ordination se déroule à Soissons.

1946-1956 : Joseph devient curé de campagne (paroisses de Tergnier puis de Dhuizel dans le diocèse de Soissons) avec une interruption d'une année de maladie.

1956 : Arrivée au Camp de Noisy-le-Grand (93) le 14 juillet 1956, Joseph est relevé de sa fonction de curé en novembre 1956.

1957 : Création de l'association « Aide à toute Détresse » (ATD).

1960 : Début d'une analyse systématique de la pauvreté avec la création d'un bureau de recherches au sein d'ATD.

1968 : Joseph n'habite plus le Camp de Noisy (détruit en 1970), il s'installe à Pierrelaye (95). Tournant dans l'histoire d'ATD : la lutte contre la misère passe par la défense des droits de l'homme.

1969 : Ajout de la dénomination « Quart Monde » à ATD.

1979 : Nomination de Joseph Wresinski au Conseil économique et Social (CES, France).

1982 : Joseph Wresinski conduit une délégation de jeunes engagés dans le Mouvement auprès du pape Jean-Paul II à Rome.

1983 à 1986 : Joseph écrit quatre livres : Les pauvres sont l'Église (1983) ; Heureux vous les pauvres (1984) ; Les pauvres, rencontre du vrai Dieu (1986) ; Paroles pour demain (1986).

1987 : Adoption du « rapport Wresinski » sur la pauvreté en France par le CES. La pauvreté est enfin définie comme violation des droits de l'homme.

17 octobre 1987 : Pose de la dalle en l'honneur des victimes de la misère sur le Parvis des droits de l'homme, place du Trocadéro à Paris.

1988 : Mort de Joseph Wresinski, le 14 février à Suresnes (92). Funérailles en la cathédrale Notre-Dame de Paris le 18 février. Sa tombe est à Méry-sur-Oise (95).

1

Un enfant de la pauvreté

Toute personne est marquée à jamais par ses expériences d'enfant. Pour Joseph Wresinski, l'expérience de la pauvreté est fondamentalement inscrite dans sa vie, dès la petite enfance. Ses parents ne semblaient pas destinés à la grande pauvreté, puisque son père polonais était ingénieur-mécanicien et sa mère espagnole institutrice ou aide-institutrice. Les sources ne sont pas très précises[1]. Entre Pologne et Espagne,

---

1. La déclaration des professions à l'État-civil doit être prise avec prudence vu les circonstances.

cette famille se retrouve finalement dans l'ouest de la France, à Angers, par un hasard de l'histoire.

L'arrivée de la famille à Angers en camp d'internement

En effet, le contexte historique a mis cette famille sur la route. C'est tout d'abord le père Ladislas qui quitte la Posnanie, muni d'un passeport allemand, avant la première guerre mondiale, pour trouver du travail en Espagne. Il rencontre là sa future femme dont les parents tenaient le petit hôtel où Ladislas logeait. Puis le couple quitte l'Espagne avec leur premier enfant, Louis, pour venir en France. Ladislas trouve du travail à Paris en 1912. Mais la première guerre mondiale éclate et les étrangers appartenant à un pays ennemi sont internés dès la déclaration de guerre en 1914. Ladislas est alors considéré comme allemand, il est donc enfermé dès la déclaration de guerre, d'abord seul, puis au bout de quelques mois, grâce au regroupement familial, il rejoint sa femme et son fils dans un camp d'internement administratif à Saumur puis à Angers où Joseph naît le 12 février 1917. Le règlement de ces camps permet de travailler à l'extérieur dans la journée, mais il faut être au camp en fin de journée. Ladislas trouve un emploi dans une fabrique de parapluies d'Angers et sa femme quelques heures de ménage.

La disparition progressive du père
Contrairement à son frère aîné, Louis, Joseph n'a pas de souvenirs directs de cette toute petite enfance en camp mais c'est une période marquée de difficultés économiques et par un événement

précis : la mort de sa sœur Sophie, née juste avant lui. Le couple est progressivement fragilisé et l'après-guerre n'apporte guère d'amélioration. La famille s'installe dans un quartier pauvre d'Angers, la Doutre, rue Saint-Jacques, dans une ancienne forge désaffectée et transformée en habitat pour des précaires. La famille s'agrandit avec Martin puis Antoinette. Ladislas cherche en vain du travail, son français est très médiocre, son accent polonais lui attire des regards malveillants. Aussi tente-t-il de s'installer à son compte comme horloger, à son domicile, mais l'expérience tourne court. Il est même accusé d'avoir volé une montre en or alors qu'il a été victime d'un cambriolage. Il doit la rembourser... Un climat de violence s'installe progressivement à la maison. Le père quitte le foyer, désireux de refaire sa vie ailleurs, loin des regards accusateurs, mais sa femme tient à garder un toit pour ses enfants et veut rester à Angers. Ladislas réapparaît quelques fois au logis familial ; la mère et les enfants appréhendent ses passages houleux. Finalement Ladislas repart en Pologne définitivement en 1926. Joseph n'a que neuf ans et se retrouve dans cette situation aujourd'hui bien fréquente de famille monoparentale extrêmement pauvre dont le chef de famille est une femme. Malgré son bagage culturel, la famille Wresinski est certainement une des familles les plus pauvres du quartier, Joseph dira même « la plus pauvre[2] ». Un phénomène d'exclusion supplé-

---

2. Joseph WRESINSKI, *Les pauvres sont l'Église*, Cerf/éd. Quart Monde, [1983] 2011, p. 41.

mentaire s'y greffe car ils sont traités d'« étrangers » avec leur nom polonais si repérable !

L'expérience de l'humiliation
et de la honte

Dès neuf ans, Joseph est donc marqué par la peur de la violence du père qui s'était mis à battre ses enfants et à injurier sa femme. Il intériorise aussi l'humiliation des aides charitables indispensables à une époque où n'existent presque pas de prestations sociales. Ces aides peuvent être décalées, inadaptées, sur le plan vestimentaire par exemple. Mais il faut accepter et remercier les personnes de peur de les voir arrêter toute aide ! Cette charité peut aussi être intrusive. La maman de Joseph doit souvent défendre son droit de choisir d'élever ses enfants, sans les mettre aux « Orphelins d'Auteuil » comme lui conseillent les dames de la paroisse !

Joseph vit donc le manque du nécessaire, les jours de faim, la nécessité de participer dès que possible aux ressources de sa famille. Il sert la messe du matin dès son plus jeune âge chez les sœurs du Bon Pasteur. Alors il peut bénéficier d'un petit-déjeuner et de quelques pièces à offrir à sa mère. Avec ses frères, il doit rapporter aussi de la nourriture donnée par les sœurs du Bon Pasteur, et cette tâche est source de honte : elle stigmatise toute la famille Wresinski dans son statut de « pauvre ».

À la maison, Joseph participe au travail exécuté en sous-traitance d'entreprises. Cet usage est encore fréquent à l'époque pour les femmes de milieu populaire restant au foyer. Ainsi la famille Wresinki se retrouve parfois ensemble le soir pour emballer du papier à cigarettes (le papier Zig-Zag). Ces occupations n'empêchent pas Joseph d'aller à l'école primaire où il est, comme ses frères et sœur, moqué pour leur nom de famille étranger. On les surnomme les « kikis ». Sa mère est même obligée de se battre pour qu'il soit présenté au certificat d'études en 1929, signe qu'elle tient à l'éducation de ses enfants et à une égalité de traitement entre les écoliers. Joseph a alors douze ans.

Des expériences fondatrices jusque dans l'apprentissage d'un métier

Toutes ces expériences de jeunesse lui resteront en mémoire, elles sont inscrites en lui. Elles donneront à Joseph une compréhension intérieure des pauvres, de leurs réactions, de leurs ressentis. Elles lui rappelleront en permanence le combat mené par sa mère pour vivre, pour faire vivre sa famille et affirmer en permanence leur dignité. Tout cela va structurer son action et sa pensée pour l'avenir...

Pour l'instant, le certificat d'études ne conduit pas Joseph à continuer des études mais à entrer en apprentissage, comme son frère aîné Louis l'a fait avant lui. C'est la voie normale des enfants pauvres obligés de se mettre à travailler le plus tôt possible. Il entre alors en apprentissage chez un boulanger-pâtissier. La condition d'apprenti entre les deux guerres mondiales n'est pas toujours enviable. Situation mal payée, avec des horaires impossibles et des tâches peu intéressantes. Il faut avoir la chance de tomber sur un bon patron pour apprendre réellement le métier ! Joseph se rend vite compte de toutes ces difficultés : il s'engage très vite à améliorer le sort des apprentis. Il entre d'abord dans un groupe communiste[3] puis va continuer avec la Jeunesse Ouvrière Chrétienne (JOC). Ces deux réalités ont en commun d'être du côté de la militance, de la conscience que le combat doit se mener collectivement avec les personnes directement concernées. Elles ont toutes deux aussi l'habitude d'analyser les situations, de rechercher les causes et les remèdes possibles aux injustices et inégalités vécues par les apprentis et les ouvriers. Joseph va garder précieusement cette habitude de l'analyse, et du travail collectif. Plus précisément, il prendra avec la JOC l'habitude de noter les faits dans un cahier, d'écrire les situations vécues au jour le jour pour les reprendre ensuite dans une réflexion

3. Les sources ne permettent pas de préciser si Joseph a rejoint les Faucons rouges (socialistes) ou les Jeunesses communistes.

et une action collective. La pédagogie de la JOC est très formatrice à ce niveau-là avec sa méthode du : voir-juger-agir. Pour comprendre une situation et imaginer une action d'amélioration, le détour par l'observation minutieuse de ce que les personnes vivent et endurent est indispensable. La méthode permet de rester enraciné dans le réel, de prendre en compte le vécu des personnes. Joseph Wresinski y restera toujours fidèle.

C'est aussi dans ce temps d'apprentissage que Joseph expérimente « la force des pauvres », c'est-à-dire l'impact d'une voix de pauvre qui demande justice pour d'autres pauvres auprès des autorités compétentes. En effet, pendant son apprentissage à Nantes, il lutte avec d'autres en faveur des jeunes apprentis touchés par la tuberculose. Souvenons-nous qu'avant la découverte de la pénicilline, beaucoup de personnes étaient mises à l'écart par peur de la contagion et en mouraient, tout particulièrement dans les milieux pauvres. La tuberculose était un véritable fléau dans les familles vivant la promiscuité et le manque d'hygiène, faute d'eau courante. Cette maladie sévissait durement chez les apprentis et ouvriers mal logés, mal nourris... Alors Joseph porte avec deux amis une pétition auprès du maire de Nantes, en refusant de quitter la mairie tant que le maire ne les reçoit pas et ne s'engage pas à agir. Il a environ seize ans lors de cette action qui annonce bien la manière qu'il aura d'agir tout au long de sa vie.

La naissance d'une vocation de prêtre

On peut s'étonner du bref passage de Joseph dans un groupe communiste, mais cette réaction manifeste sa liberté d'esprit, sa capacité de choisir, de se questionner sur la foi. Il lui a fallu ce moment de prise de distance pour revenir librement à la foi en Jésus-Christ, transmise en particulier par sa mère. Il y revient en redécouvrant la personne de Jésus-Christ pauvre, chassé, humilié mais défenseur des exclus et de leur dignité. La JOC le remet en contact avec les Évangiles et avec des prêtres réellement engagés avec et auprès des plus pauvres. C'est alors que s'affirme sa vocation presbytérale, son désir d'être un prêtre engagé avec les pauvres. Joseph dit avoir été interpellé par un prêtre de la JOC, le père Gerbaud, « Pourquoi ne serais-tu pas prêtre ? », et avoir interpellé lui-même ce prêtre : « Écoutez, pourquoi je ne serais pas prêtre ? » Les deux versions ne s'excluent pas et montrent au contraire que tous deux étaient en train de mûrir cette conviction.

L'appel et le désir personnel se sont croisés et ont confirmé cette vocation.

Le chemin de Joseph ne va pas être simple, car il est peu instruit et sans ressources. Il lui faut se remettre à niveau sur le plan scolaire, en particulier apprendre le latin alors indispensable pour célébrer la messe (c'est plus tard, en 1963, que le concile Vatican II permettra de célébrer en français). Il lui faut trouver des appuis financiers pour payer ces années d'études en internat, au petit puis grand séminaire. Heureusement, la famille Wresinski est bien connue dans son quartier angevin, en particulier par les sœurs du Bon Pasteur. Aussi la famille d'une religieuse va prendre en charge ces frais d'études tout en imposant que Joseph soit destiné au service du diocèse de Soissons d'où est issue cette famille. Une remise à niveau scolaire est un préalable.

Joseph passe deux années au petit séminaire de Beaupréau (Maine-et-Loire). Ces deux années-là sont très douloureuses. Joseph se retrouve en classe avec des gamins de douze ans alors qu'il en a dix-sept en 1934! Il a derrière lui cinq années de vie d'apprenti, d'ouvrier boulanger-pâtissier puis de travail en différents lieux (Nantes, les Ponts de Cé, Angers). Au petit-séminaire de Beaupréau, Joseph se trouve isolé et confronté à des jeunes issus d'un milieu nettement plus aisé que lui! Tout cela dit bien la solidité de sa vocation! Mais là encore, Joseph fait une expérience structurante. Il apprend à vivre dans un milieu culturel très différent du sien, il commence à prendre pied dans différentes couches sociales, à croiser pauvres et riches, sans jamais se détourner des premiers.

Une expérience de la misère
et de la pauvreté

Cette période de vie montre l'enracinement de Joseph dans la pauvreté qui
touche de près la misère. Néanmoins
le capital culturel, même limité, de sa
famille lui a évité d'être totalement un
enfant de la misère comme ceux qu'il a pu
côtoyer dans son quartier. Cette distinc-
tion est importante. Joseph Wresinski
a réfléchi sur les différences entre ces
deux réalités, misère et pauvreté, dans les
années ultérieures. Pour lui, la misère est
la « grande pauvreté »[4] ou la « pauvreté
extrême » qui ne permet plus aux familles
d'assurer leurs responsabilités élémentaires et de jouir de leurs droits fonda-

4. Voir la définition de la grande pauvreté et de la
précarité économique et sociale dans Avis et

mentaux. La misère provoque en effet des humiliations répétées et une honte qui empêchent les personnes de réclamer leurs droits, de se sentir sujet de droits. Cette misère se transmet de génération en génération. La mère de Joseph, qui n'est pas issue de la grande misère, a toujours gardé la conscience de sa dignité. Elle n'a pas arrêté de lutter pour élever ses enfants elle-même, pour obtenir que Joseph passe son certificat d'études... Elle lui a montré le chemin du combat pour la dignité dans une pauvreté qui peut devenir extrême.

rapports du Conseil économique et social, année 1987, n° 6, 28 février 1987.

Joseph Wresinski
Portrait d'une famille pauvre[5]

Pauvres des chemins creux de notre temps, que nous révèlent-ils de Dieu, de la foi dans le Dieu des Évangiles ? Descendons vers ce « monde d'en bas », au foyer des Beauchamp.

Chez les Beauchamp, dix personnes se bousculent, se disputent, s'injurient à longueur de journée, ou bien vivent comme sous une épaisse couverture de tristesse, sans se parler, sans se regarder les unes les autres, chacune comme emmurée dans ses propres préoccupations.

Les parents, sept enfants plus un beau-fils, s'entassent ainsi comme ils peuvent,

5. *Les pauvres, rencontre du vrai Dieu*, Cerf/éd. Quart Monde, [1986] 2005, p. 19-26.

dans une existence où l'énervement, l'excitation ne cèdent la place qu'à l'abattement ou à la paralysie de l'insécurité. La vie paraît d'autant plus saccadée, sans ordre ni rythme, que personne ne travaille et que les enfants d'âge scolaire ne vont pas toujours à l'école. M. Beauchamp, fils d'un ouvrier du textile du Nord mort jeune, a dû faire trente-six métiers dès ses douze ans. En fait, il a dû souvent mendier du travail, puis mendier tout court, pour aider sa maman à nourrir ses frères et sœurs.

À vingt-cinq ans, il se retrouve époux et père de famille mais pour le travail, rien n'a changé. Petit, malingre, usé bien avant l'âge, il n'y a pour lui que les humbles tâches de balayeur, de déménageur, de monteur de marché. Puis, un jour, il s'effondre. Atteint depuis longtemps d'une infection gastro-intestinale, il ne travaillera plus désormais que rarement. La Sécurité sociale refuse pourtant, pendant longtemps, d'admettre son incapacité de travail. Il lui faudra quatre ans pour régulariser sa situation, quatre ans de famine, au cours desquels la maman devra prendre la relève. Lui ne sera qu'une ombre honteuse et humiliée, au foyer. Personne n'a jamais cru en lui, pourquoi le croirait-on à la Sécurité sociale ? Il n'est même pas crédible aux yeux de ses enfants ! […]

Noël, chez les Beauchamp, a été un jour comme les autres, pire que les autres, peut-être. Il n'y avait rien pour marquer la fête, même pas un repas qui fasse oublier un instant le malheur et où chacun eût vraiment mangé à sa faim.

Peut-être, malgré tout, ce Noël gâché a-t-il pu aider à comprendre la véritable signification de la naissance de Jésus-Christ, de ce Jésus venu parmi les pauvres pour vivre et mourir afin qu'ils vivent?

Un soir, j'ai posé la question à M. Beauchamp. Il baisse la tête, ne répond pas. Il réfléchit, puis dit tout bas : « On n'avait rien, c'est trop dur... » Puis, après un moment : « C'est peut-être cela le mystère de l'Incarnation. » Puis il dit encore, lui qui jamais ne nous a parlé de Dieu, qui jamais n'a manifesté le moindre intérêt religieux : « C'est vrai qu'on a besoin d'être sauvés... nous sommes de pauvres types. »

Il n'y a rien de plus à dire, plus rien à comprendre, il n'y a plus qu'à s'incliner, à prier, à adorer Dieu qui nous attend là où nous ne l'attendions pas. À adorer Jésus-Christ qui nous apparaît là dans une splendeur que nous étions incapables d'imaginer. [...]

2

Un prêtre enraciné dans l'Évangile

Une fois la remise à niveau péniblement faite, Joseph va, pendant une année, être surveillant à l'école presbytérale de Loches. Puis il part faire son service militaire, encore obligatoire en 1937. Joseph se fait remarquer par ses talents de meneur d'hommes. Il devient président de l'œuvre militaire de Bar-le-Duc et s'active pour que ses compagnons militaires se retrouvent et s'occupent durant leurs moments de liberté bien loin de leurs familles. Mais voilà que la guerre survient. Là encore Joseph doit faire face à la vie, à la réalité concrète qui bouscule tous les projets. Au lieu d'entrer au grand séminaire de Soissons, il doit rester sous les drapeaux. Il se bat, il est fait prisonnier le 11 juin 1940, mais il s'évade! Sa détermination est claire, il veut rester libre et continuer sa route pour devenir prêtre.

Un séminariste proche des ouvriers les plus pauvres

Il va donc rejoindre les séminaristes de Soissons qui se sont réfugiés à l'abbaye d'Entrammes (en Mayenne). Il poursuit son parcours qui aboutit enfin à son ordination le 27 juin 1946, à Soissons. Ce sont des années d'étude intense, de lectures, entrecoupées de moments de vacances dont Joseph profite pour travailler dur en usine, par exemple aux usines Valentine (peinture). Joseph est resté lié à la Mission

Ouvrière (suite habituelle de la JOC). Il veut connaître la condition des ouvriers les plus marginalisés et participer à leur évangélisation. Cette connaissance du monde ouvrier très pauvre le conduira à penser les plus pauvres comme un sous-prolétariat. Dès ces années-là, il interpelle ses confrères sur l'existence des très pauvres, de ceux qui ne sont pas visibles, pas reconnus par la société, y compris par les syndicats ouvriers.

Un prêtre ordonné pour les plus pauvres

Lors de son ordination, le père Joseph prend la devise : « Avance au large et jette tes filets. » Cette parole tirée de l'Évangile selon Saint Luc (Lc 5, 4) représente bien Joseph, sa capacité à aller hors des chemins déjà tracés, avec l'idée que de la richesse humaine est présente dans le monde houleux des plus pauvres. Aller au large ne signifie pas aller au bout du monde, dans les pays lointains des missions étrangères. Pour Joseph, c'est d'abord aller vers ceux qui sont cachés par la misère, y compris dans le monde ouvrier. L'image choisie pour le jour de son ordination représente Jésus-Christ tourné vers une ville avec, en arrière-plan, des usines, avec une parole de Jésus que l'on trouve dans les Évangiles : « J'ai pitié de cette foule » (Mt 14, 14 ; 15, 32 ; Mc 6, 34 ; 8, 2). Joseph précise ici sa manière d'envisager son ministère, non pas s'installer dans une paroisse pour prendre soin d'une communauté déjà constituée mais aller, dans un mouvement permanent, vers ceux qui ne sont pas présents dans les communautés paroissiales : la foule des plus pauvres. Ce mouvement est motivé par son amour profond pour ces personnes. Le mot « pitié » présent dans la phrase ne doit pas nous induire en erreur : Joseph Wresinski a horreur de la pitié condescendante qui humilie les pauvres. La « pitié » évangélique est une compassion active : une capacité à sentir la détresse humaine, à l'accueillir jusqu'à la faire sienne, pour agir ensuite efficacement. Dans les Évangiles, Jésus, pris de pitié, se met à guérir, à nourrir les foules, à leur parler de l'amour du Père pour tous... Jésus refuse l'exclusion !

Rien d'étonnant de retrouver Joseph sur les routes dès sa première année d'ordination alors qu'il a été nommé dans une paroisse semi-rurale, Tergnier. Un centre de tri SNCF fait de cette petite ville un lieu propice. Joseph y crée une section de la JOC, participe à des grèves... Il est aussi en lien avec la Mission de Paris et intègre une équipe volante qui sillonne la France pour des missions ponctuelles. Joseph en profite pour sensibiliser les chrétiens sur le monde de la pauvreté. Mais il tombe gravement malade : une méningite puis la tuberculose. Il doit partir en sanatorium une année entière (1949). Malade, il vivra cependant les funérailles de sa maman, transporté sur une civière.

La recherche des plus pauvres
en monde rural

Dans l'idée de ménager sa santé, son Évêque le nomme curé d'une petite paroisse de campagne, Dhuizel, un petit village avec trois hameaux. Il n'y a pas plus de cinq cents habitants au total. Plus tard, en 1954, il reçoit en plus la charge de quatre villages et hameaux proches de Dhuizel. Et c'est là qu'il reçoit un surnom : « Le prêtre de la racaille ». Que s'est-il passé ?

Joseph garde toujours son orientation fondamentale : se mettre à la recherche des plus pauvres, si souvent invisibles. Il est en campagne et il repère vite les familles très pauvres, les clochards, les saisonniers. Non seulement il va les voir, mais il ouvre grand son presbytère. Pire encore, il se fait embaucher pour quelques travaux agricoles afin de partager les conditions de travail des ouvriers agricoles saisonniers. Cela ne plaît pas à tout le monde ! Dans l'esprit de Joseph, c'est pourtant cela être prêtre de Jésus-Christ. On retrouve cette conviction dans son livre *Les pauvres, rencontre du vrai Dieu.* Il y décrit Jésus comme celui qui est « assailli, envahi par la racaille »[1]. Pour lui, Jésus est celui qui repère dans n'importe

---

1. *Les pauvres, rencontre du vrai Dieu*, Cerf/ éd. Quart Monde, [1986] 2005, p. 76.

quelle foule ou lieu, ceux qui sont mis au ban et alors « il leur parle, il les touche. Pire, il fait d'eux ses frères, ses confidents, ses premiers témoins du salut »[2]. Le père Joseph s'est mis dans le sillage de Jésus, du Jésus bien concret des Évangiles. Il est pétri de la présence de Jésus-Christ auprès des plus pauvres. Dans ses homélies, il se réfère sans cesse à ce Jésus qui sillonne les routes de la Galilée, de la Judée, et qui montre de l'attention aux exclus de tous genres pour les aider à se remettre debout et s'insérer socialement. Sa vocation de prêtre est intimement liée à sa lecture des Évangiles, à son lien avec Jésus-Christ qu'il nomme à la fois « Fils de Dieu » et « homme de la misère ». Pour Joseph, le meilleur connaisseur de la misère est Jésus, le Fils de Dieu qui s'est fait

2. *Id.*, p. 76.

pauvre, « misérable », pour être avec les plus pauvres. Il insiste sur cette reconnaissance réciproque des pauvres et de ce Fils de Dieu qui fait jaillir la vie...

Un engagement confirmé
vers les plus pauvres

Ces convictions n'éliminent pas les problèmes. Joseph ne réussit pas à remplir sa paroisse, car en voulant donner la première place aux plus pauvres (les saisonniers) il provoque surtout la désertion des paroissiens habituels (les propriétaires, les agriculteurs). Mais l'erreur porte fruit car Joseph comprend ultérieurement l'importance d'unir les personnes, de rassembler les pauvres comme les riches autour d'un même but : défendre la dignité de tout homme à partir des plus pauvres. Cette expérience lui fait comprendre qu'il n'est pas possible d'imposer la présence des plus exclus à un milieu qui les rejette. Il faut agir autrement, aider à la rencontre qui ouvre à une connaissance intime des personnes marquées par la pauvreté. Une nouvelle manière de procéder s'invente. C'est à cela que Joseph s'attelle par la suite.

Pour l'heure, la réputation de Joseph déborde de sa petite paroisse de Dhuizel. Aussi il n'est pas étonnant que son Évêque[3] pense à lui lorsqu'un appel est fait pour le camp de Noisy-le-Grand en 1956. Il s'agit d'aider le diocèse de Versailles qui cherche un prêtre, un aumônier pour les

3. Il existe un débat pour savoir si le père Joseph s'est proposé ou s'il a été appelé par son évêque, Mgr Douillard. L'important est que cette mission ait réellement été confiée et acceptée de manière réciproque.

deux cent cinquante ou trois cents familles précaires logées sommairement sous tentes et « igloos » (sorte de préfabriqué en forme arrondie). Ce camp a été créé par l'abbé Pierre (Emmaüs) dans un moment de grande crise du logement. C'était la réponse provisoire à son appel lancé durant l'hiver 1954. Aujourd'hui nous appellerions cela un bidonville ! L'évêque de Soissons pense qu'il s'agit d'une mission temporaire, six mois ou un an. Or c'est une tout autre histoire qui commence.

Joseph arrive sur place le 14 juillet 1956 et il y fait une expérience fondamentale. Dès son arrivée, il perçoit ce qu'il a à faire avec ces personnes misérables. Il comprend sa mission vis-à-vis d'elles : « Ces familles de la misère ne s'en sortiront jamais seules, je leur ferai monter les marches de l'Élysée, du Vatican, de l'ONU, des grandes organisations internationales »[4]. Sa direction est tracée mais la méthode pour y arriver est à construire. Deux jours après il est là au milieu des personnes, en soutane, sans un sou pour les aider. Il comprend que sa force est d'être prêtre au milieu de ce peuple. On pourrait l'identifier au personnage de Moïse à qui Dieu confie la mission de libérer son peuple de l'esclavage en Égypte. Sa vocation est d'être envoyé à ce peuple de la misère pour le libérer. Il ne retournera plus jamais en paroisse. D'ailleurs, le 11 novembre 1956, il est déchargé de sa charge paroissiale et reste vivre à Noisy jusqu'en 1967.

4. *Les pauvres sont l'Église*, Cerf/Quart Monde, [1983] 2011, p. 32.

Un enracinement dans la foi
en un Dieu ami des pauvres

La vocation de Joseph Wresinski s'enra-
cine bien sûr dans le vécu de son enfance
mais elle est fondamentalement liée à sa
foi qui est d'abord centrée sur la personne
de Jésus, sur le Fils de Dieu qui est devenu
pauvre jusqu'à se faire « misérable » et
à mourir comme les plus misérables...
Mais Jésus n'a pas valorisé la misère : il
l'a combattue. La misère reste « le mal
absolu » ou « l'envers de la grâce » dans
la pensée de Joseph Wresinski. Si Jésus
s'est fait pauvre, ce n'est pas pour glori-
fier la pauvreté mais pour partager la vie
des très pauvres et que réciproquement
ceux-ci partagent la vie de Dieu. Or Joseph
voit que les plus pauvres se reconnaissent
dans ce Dieu qui s'est fait pauvre en Jésus.
Il entend que, dans la misère, ces hommes

et ces femmes révèlent la profondeur de l'amour de Dieu.

En se mettant dans le sillage de Jésus, à la rencontre des pauvres, Joseph fait l'expérience que ceux-ci l'aident à mieux connaître Jésus-Christ, à entendre à nouveaux frais les Évangiles, son message. On peut entendre cette conviction dans le titre de son livre *Les pauvres, rencontre du vrai Dieu*, et elle sous-tend toute son œuvre. Pour Joseph Wresinski, les pauvres ont une connaissance particulière du mystère de Dieu, tout comme ils ont une connaissance du mystère de l'homme (l'humain). Il ne s'agit pas d'identifier directement les pauvres au Christ même si certaines expressions de Joseph reprennent ce qui a été dit bien souvent dans la tradition chrétienne : « Rencontrer un pauvre, c'est rencontrer le Christ ». Joseph Wresinski n'a jamais idéalisé les pauvres en tant que tels, car la misère abîme les êtres humains et développe des comportements difficiles à supporter. Il se situe sur le plan de la foi avec des expressions reçues dans sa formation. Il ne fait pas œuvre de théologien mais il exprime son expérience de foi.

Il réaffirme que la rencontre des pauvres est indispensable à la foi chrétienne car elle nous mène au vrai Dieu de Jésus-Christ : un Dieu ami des pauvres, un Dieu engagé avec les pauvres contre la misère. Aller à la rencontre des exclus dans une attitude de profonde bienveillance, d'accueil et de lutte contre la misère, c'est se mettre dans le chemin de Jésus-Christ, dans son regard et ses attitudes. Le partage vécu avec un très pauvre nous fait entrer dans le partage de

Dieu avec ce très pauvre (qu'il soit chrétien ou non). Il y a une circulation mystérieuse entre les pauvres, Dieu et ceux qui sont dans cet esprit de rencontre et de partage. Pour Joseph, comme pour toute l'Église, la rencontre des personnes vulnérables, ouvre la vie en Dieu, indépendamment de toute religion. Et pour ceux qui sont chrétiens, il faut ajouter qu'une connaissance intime de Dieu passe par les très pauvres, par leur rencontre vécue dans une forme de réciprocité où l'on se donne Dieu, où Dieu nous donne à l'autre. Joseph Wresinski vit cela et veut le partager avec le plus grand nombre...

Dans son engagement, Joseph Wresinski est un prêtre chrétien profondément traditionnel, au bon sens du terme « traditionnel », c'est-à-dire ancré dans la tradition multiséculaire d'une Église proche des pauvres. Mais dès son arrivée à Noisy-le-Grand une originalité se dessine.

Des insistances propres à Joseph Wresinski : un combat pour la famille et la recherche du plus pauvre

Contrairement à l'avis de son évêque, Joseph va s'installer avec les pauvres, vivre au milieu d'eux dans un baraquement. Ceci paraît, aux yeux de beaucoup, « indigne » pour un prêtre ! Mais c'est une évidence pour Joseph. Il ne peut pas venir au « camp » en visite pastorale, il est appelé à rester vivre avec ces familles très pauvres. Ainsi il les côtoie, il les connaît personnellement, il se fait accepter et aimer. Petit à petit ces familles comprennent qu'il restera vraiment avec elles fidèlement, qu'il ne les trahira pas en les quittant pour aller voir ailleurs...

Tant de gens sont passés un jour et ne sont jamais revenus ! Joseph partage leur sort au quotidien jusqu'à ses couvertures quand de nouveaux venus arrivent à l'improviste sans rien. Il connaît progressivement leurs histoires de vie et perçoit l'importance de la « famille » comme point d'ancrage ultime de ces personnes. Quand tout vient à manquer, le lien familial est le dernier rempart, même si la misère fait éclater souvent les couples et éparpiller les enfants dans divers placements. Joseph en a fait l'expérience dans sa jeunesse. Aussi son combat contre la misère va-t-il passer par un combat pour les familles pauvres, pour leur droit d'élever leurs enfants dans des conditions dignes de l'homme.

Joseph Wresinski donne priorité aux plus exclus, à ceux que la misère a mis en dehors de tout lien familial. Le « plus pauvre » se trouve là. Il est particulièrement vulnérable car il se cache, ne parle plus, ne crie même plus sa misère. Il faut donc se mettre à sa recherche, et patiemment recréer du lien... L'être humain ne peut pas vivre et se développer sans relations sociales. Joseph s'attache à montrer que la misère est d'abord une exclusion sociale ; la combattre suppose de recréer du lien.

Ces convictions confortent Joseph Wresinski à considérer les pauvres comme un peuple, et non comme des cas sociaux individuels. Son insistance est le « vivre ensemble » pour défendre les familles pauvres et « le plus pauvre ». Il développe cette orientation en créant une association. En 1961, naît ATD (« Aide à Toute Détresse », devenu en 2000 « Agir Tous pour la Dignité »). L'appellation « Quart Monde[5] » est venue s'ajouter en 1969 pour insister sur l'idée d'un peuple exclu qui prend la parole. Pour Joseph Wresinski, ce quart-monde est d'abord le sous-prolétariat que les syndicats de l'époque négligeaient mais il regroupe plus largement les personnes vivant l'extrême pauvreté dans tous les continents.

Le père Joseph invite aussi l'Église à rester fidèle à « l'option préférentielle pour les pauvres ». Il insiste plus particulièrement sur un choix prioritaire du plus

5. Cette appellation se réfère au quart état ou quatrième ordre, l'« ordre sacré des infortunés », qui n'avait pas réussi à faire entendre sa voix lors des États généraux de 1789, auxquels ne furent conviés que les représentants de la noblesse, du clergé et du tiers état.

pauvre[6] en raison même de l'attitude de Jésus qui voit dans la foule des pauvres, « le plus pauvre », celui qui est même rejeté par des moins pauvres...

6. Étienne GRIEU, Laure BLANCHON, Jean-Claude CAILLAUX (dir.), À l'école du plus pauvre : le projet théologique de Joseph Wresinski, éd. Lumen Vitae, octobre 2019. Ce livre est issu d'un séminaire de recherche du Centre Sèvres (Paris) auquel nous contribuons.

Joseph Wresinski
Telle est l'Eucharistie[7]

Il y a parfois, dans l'Église, une façon de montrer un Christ trop glorieux, loin des souffrances de ce monde, un Christ qu'on renvoie « dans son ciel », en quelque sorte. Alors que le Christ continue d'être, pour l'éternité, le Christ crucifié, aux pieds et aux mains troués, parce qu'Il continue d'être en agonie tant que les plus petits des siens continuent d'être bafoués.

Comment pourrait-il en être autrement, puisque durant toute sa vie terrestre, le Christ s'est affirmé comme pauvre. Le Fils de Dieu n'a pas eu honte « de perdre

7. Intervention faite auprès de la communauté de l'Arche, juin-juillet 1983, publiée sous le même titre aux Éditions du Cerf, 2005.

sa condition pour devenir esclave »
(Philippiens 2, 7), d'être mis au rang de tous
ceux qui étaient des rejetés, des exclus. Car
le Christ identifié aux pauvres et les pauvres
identifiés au Christ sont une même communauté. Ceux qui Le suivaient, Le pressaient
de toutes parts sur les routes de Palestine
étaient les estropiés, les misérables, les
exclus, les possédés, les pécheurs publics.
Ils étaient ceux qui, pour une raison ou une
autre, étaient refoulés du Temple, ceux qui
étaient tenus à l'écart des circuits de la vie
des hommes. Mise à l'écart dont s'accommo-
daient les hommes d'argent, les hommes de
loi, les hommes de religion.

Et c'est parmi ces pauvres qui entou-
raient Jésus, dont Il était non seulement le
défenseur, mais le témoin, pour lesquels
Il s'engageait quotidiennement, à tous les
instants, avec qui Il avait noué une commu-

nauté de destin, c'est parmi eux que Jésus a appris les secrets de sa vie humaine et une nouvelle manière d'entrevoir son Père. Jésus s'est laissé enseigner par la communauté des pauvres, une communauté qui est, en permanence, la communauté de la violence, de l'insolite, de l'opposition, de l'énervement. Le Christ s'est fait bafouer, insulter, non seulement par les pharisiens, mais par ces pauvres avec qui Il a vécu l'entassement : celui qui est fait d'agressivité, d'injures, de vengeances infligées aux plus petits, aux sans défense.

L'amour des humbles et des petits, Jésus l'a appris chez les pauvres, parce qu'Il a dû se défendre d'eux, mais aussi parce que l'agressivité que provoque la misère laisse le champ libre à la pitié, à la miséricorde. Il n'était pas possible, même pour le Christ, d'aller jusqu'au bout de l'amour des pauvres, sans être mis au ban de la société, et la mort de Jésus sur la Croix a quelque chose à voir avec cet amour inconditionnel, incommensurable, du Christ pour l'homme rejeté. Jésus, à son tour, est devenu le rebut du monde, l'esclave, le piétiné, le méprisé.

Si aujourd'hui, le Christ porte un nom au-dessus de tout nom, ce nom est écrit avec le sang des pauvres, avec les larmes des pauvres. Car les pauvres sont les témoins d'une passion continuée, d'une humanité mise à mort dans les plus faibles des siens. Si le Christ a rencontré les plus pauvres, les plus petits des pauvres de son temps, c'est parce qu'Il a été l'un d'eux, parce qu'Il a pris la dernière place.

Pour nous, aujourd'hui, il n'y a pas d'autre voie que celle de suivre le Christ. Si nous perdons contact avec les plus pauvres, nous perdons forcément contact avec Celui qui s'est identifié à eux, avec Celui qui ne garde rien pour lui, puisqu'Il s'est fait don total, pain partagé, serviteur.

On ne peut suivre le Christ et l'oublier dans le pauvre à notre porte. Si on l'oublie dans le pauvre, on vit une religiosité dépourvue de toute incarnation. Or, le Christ de l'Incarnation, c'est la Parole faite chair, c'est la dignité et l'amour envahissant le cœur le plus délaissé. Le Christ est l'adéquation parfaite avec le pauvre.

En dehors du pauvre, cette adéquation se brise, perd tout son sens. Il nous faut apprendre à aimer le monde à travers Jésus, le défiguré. Il nous faut aimer jusqu'à la déchirure les plus défigurés, car c'est à travers la communauté des pauvres d'aujourd'hui que le Christ continue d'être écrasé, de mourir. En nous mettant devant l'homme qui souffre, c'est finalement devant un Dieu qui souffre que nous sommes conduits à nous agenouiller et à célébrer le Christ qui est allé jusqu'au fond de la détresse humaine, pour l'épouser et en faire ses stigmates de gloire.

3

L'initiateur d'un autre rapport
aux pauvres

Le film *Joseph l'insoumis* (2011), tourné avec l'acteur Jacques Weber mais aussi avec des familles membres du mouvement ATD Quart Monde, donne des éléments importants pour comprendre comment se situe le Père Joseph vis-à-vis des très pauvres. Ce dernier transforme profondément la manière d'être en rapport avec des personnes marquées par la précarité. Plusieurs caractéristiques se dégagent et fondent finalement une « méthode ATD

Quart Monde » qui sera ultérieurement réfléchie de manière systématique avec des universitaires et des personnes connaissant la précarité. Mais au départ, Joseph développe sa « méthode » en vivant et agissant sur le terrain du camp de Noisy, avec les familles qui s'y trouvent, puis avec quelques volontaires. Il n'a pas d'abord pensé puis appliqué des principes, mais il a vécu et approfondi son expérience quotidienne avec ceux de la misère. Comment s'y prend-il ?

Choisir des moyens consolidant
la dignité des pauvres
Tout d'abord, dès son installation au camp de Noisy, il lutte contre des pratiques charitables pourtant bien utiles en apparence : dons de nourriture, de vêtements. Cet aspect a été difficile à comprendre tant du

côté des associations caritatives que du côté des familles précaires. La soupe populaire distribuée dans le camp de Noisy soulageait la faim des enfants et des parents. Et la faim était réelle, pressante, elle poussait au vol chez les commerçants, au chapardage dans les potagers voisins. Alors pourquoi Joseph refuse-t-il cette soupe populaire ? Parce qu'il sait par expérience familiale, et il constate à nouveau à Noisy que la soupe populaire enferme les personnes dans des attitudes négatives : la passivité et la honte. Ces deux attitudes caractérisent un état de misère. Loin de constituer une solution constructive, la charité-assistance entraîne une descente dans l'humiliation, dans la mésestime de soi. Joseph affirme même que « ça tue le courage et l'espoir ». Les hommes ne vont même plus chercher des petits boulots de survie. Or Joseph veut que les personnes retrouvent un sentiment de fierté. Il cherche alors des moyens qui confirment la dignité des personnes.

La situation est identique pour les dons de vêtements, Joseph ne les interdit pas mais il crée une sorte de magasin-vestiaire où les vêtements sont présentés pour être essayés et achetés (contre une petite somme). Nous sommes aujourd'hui habitués à ce mode de fonctionnement mais dans les années 1950-1960 c'est très novateur!

Apprendre des pauvres eux-mêmes
Ensuite, en vivant au quotidien avec les personnes, les familles, Joseph Wresinski apprend des plus pauvres leurs principales difficultés, en particulier celle à être entendus des services sociaux. Ceux-là veulent protéger les enfants en les plaçant dans des centres, en les séparant de leurs

parents jugés incapables d'élever leurs enfants dans de bonnes conditions. Joseph veut au contraire trouver les moyens d'aider ces familles à élever leurs enfants. Car ces familles aiment leurs enfants et développent, avec un courage étonnant, des stratégies de survie. Joseph en est témoin et le note inlassablement dans ses carnets écrits au fil des jours. Il entend aussi leurs peurs et leurs manques de bagage culturel, de mots. Ces lacunes les empêchent de s'exprimer et d'exposer leurs demandes calmement, sans violence. Joseph constate chez ces familles l'impossibilité de dialoguer avec les assistantes sociales, la police, le maire et toutes les administrations. Il constate aussi les jugements portés sur les très pauvres : « Ce sont des irrécupérables, des moins que rien, de mauvais parents, des buveurs, menteurs, sales et violents… ». C'est tout cela qu'il faut transformer pour travailler ensemble à éradiquer la misère. Tout doit s'élaborer à partir de l'écoute approfondie de ce que vivent et souhaitent les pauvres, en vivant en amitié avec eux.

Tisser des liens d'amour vrai

Il est bien difficile de définir, de caractériser un amour vrai. Il y a tant de mauvaises façons d'aimer ou de contrefaçons de l'amour! Joseph témoigne d'une qualité d'amour précisée par plusieurs attitudes complémentaires. Il accueille chacun comme il est sans le juger: le principe de bienveillance inconditionnelle fonde son accueil. D'ailleurs les personnes pauvres sont très sensibles à ce regard bienveillant tant elles sont perspicaces, par expérience, sur les faux-semblants. Joseph cherche ensuite à entendre et à regarder attentivement ce qui demeure profondément vivant et beau dans une personne. Il a foi en l'homme. Il a cette conviction que tout être humain possède au fond de son cœur une aptitude à aimer, à se donner pour sa famille, à espérer malgré tout... La misère cache leur capacité, l'enfouit sous des attitudes très chaotiques et complexes. Mais le père Joseph est, dans l'action permanente, un contemplatif. Il sait cueillir ces moments fugitifs où se dévoilent la beauté et la bonté des êtres humains si souvent défigurés par la misère. Il sait admirer, et cette admiration développe l'espérance. Car aimer, c'est espérer l'autre. C'est espérer et voir la croissance humaine sur tous les plans, au-delà des moments de dégringolade... L'amour vrai patiente et tient bon dans la fidélité. Joseph insiste sur cette autre caractéristique d'un amour vrai : la fidélité. Elle implique de ne pas s'engager auprès des pauvres de manière ponctuelle mais de tisser des liens dans la durée, de tenir la promesse de rester là, à leur côté. Mais l'amour est aussi exigeant, le père Joseph n'hésite pas à interpeller les pauvres, parfois rudement, pour qu'ils se mettent debout individuellement et collectivement. Cette exigence est en fait un appel à vivre dignement et solidairement. Enfin Joseph travaille inlassablement à une meilleure connaissance des pauvres pour apprendre à les aimer. Il exprime le rôle mutuel qui existe entre aimer et apprendre à connaître dans cette phrase : « Aimer pour connaître et connaître pour aimer sont les fondements de toute approche fraternelle »[1]. En tout cela, Joseph s'inspire de l'attitude profonde de Jésus-Christ vis-à-vis de tous les pauvres.

1. Phrase rapportée dans la revue *Igloos* n° 5, novembre 1961.

*Aider les pauvres à prendre
la parole dans la société*

Très vite, Joseph Wresinski va au-devant des responsables politiques pour défendre les droits de ces familles. Le maire de Noisy est aux premières loges, il est harcelé par Joseph. Dans ce premier temps, Joseph est leur porte-parole mais toute sa pédagogie sera de faire que ces familles puissent progressivement prendre la parole elles-mêmes. C'est donc un travail de longue haleine qui commence. Il lance les projets d'abord seul mais il en parle, crée des réunions souvent houleuses où les familles sont encore très divisées et méfiantes. Il invite les politiques à se déplacer dans le camp pour qu'ils voient et entendent les personnes elles-mêmes. Les réunions sont tout aussi houleuses tant ces deux mondes ont du mal à se comprendre. Le père Joseph dérange! Il fait peur avec toutes ses idées qui pourraient peut-être amener le pire dans l'esprit de certains. Peut-on lui faire confiance? Ne faudrait-il pas au contraire le chasser, le décourager? Joseph ne fait pas l'unanimité dans les premiers temps du camp de Noisy. Sa baraque sera même incendiée par un opposant farouche. Les gens ont peur d'être bercés d'illusions. On leur a fait tant de promesses non tenues, comment croire que ce prêtre sans argent, vivant parmi eux, pourrait transformer la réalité ou en tout cas l'améliorer! Pourtant Joseph relève ce défi sans se décourager et obtient progressivement la confiance de la majorité des familles. Une parole collective va naître.

Rendre les pauvres acteurs, ensemble

Joseph arrive avec le temps et une proximité vraie à développer des liens forts avec beaucoup de ces familles. Il finit par impliquer telle ou telle personne dans les projets d'amélioration de la vie du camp. La participation des pauvres à l'amélioration de leur propre vie est une évidence pour Joseph même si tous n'ont pas d'emblée la capacité d'en être acteur.

Joseph s'appuie sur les compétences qu'il a décelées chez eux, il les appelle et leur fait confiance. Il est capable d'entraîner les personnes et de les soutenir dans les moments de creux, car ces moments surviennent souvent... Un vrai chemin se dessine malgré bien des détours : ces personnes très pauvres deviennent plus solidaires et conscientes de la force qu'elles représentent quand elles sont unies. Cela passe par des actions très concrètes : demander l'électricité, assainir le camp qui est boueux à la moindre pluie, s'opposer ensemble au retrait des enfants... Le peuple des pauvres se constitue ici vraiment et acquiert la force de lutter ensemble contre la misère.

Prendre en compte tous les aspects de la vie

Cette évolution est rendue possible par la multiplicité des projets mis en place pour répondre à toutes les dimensions humaines et sociales. La vision de Joseph est en effet globale, il veut que tous les aspects de la vie soient pris en compte. Il s'attache à des aspects très concrets dont, en priorité, le logement décent. Il pense aux aspects culturels en créant très vite une bibliothèque pour les enfants et les parents même si beaucoup sont touchés par l'illettrisme. Il se soucie du développement des enfants et crée un jardin d'enfants où beaucoup d'activités leur sont proposées. Il veut promouvoir et les femmes et les hommes. Il initie des lieux pour libérer la parole de ces femmes, « ces mères courage », qui ont connu tant de sévices. Il aide à la formation professionnelle par des ateliers diversifiés. Il cherche à donner du travail à ceux qui ne peuvent en trouver à l'extérieur du camp. Enfin il tiendra à construire une chapelle en forme « igloo » pour soutenir la foi des pauvres et manifester la présence de Dieu, de Jésus-Christ auprès d'eux.

Redonner le sentiment de fierté, de dignité à une personne défigurée par la misère passe donc par cette prise en compte de toutes les dimensions de son être.

L'approche de Joseph Wresinski tranche par rapport aux actions de charité très ciblées des autres associations caritatives. Il ne s'agit plus de se centrer sur un besoin urgent précis : manger, se vêtir, se loger, se soigner, éduquer... Joseph cherche à donner les moyens d'accéder à tous ces besoins en développant les capacités individuelles et collectives des personnes en précarité. Le programme est très ambitieux, plus complexe que de se centrer sur un seul aspect (le logement, ou la santé...). Cela suppose une pensée politique dont nous parlerons plus loin (chap. v). Dans ce début d'insertion dans le camp de Noisy, Joseph a déjà le souci d'une réflexion approfondie.

*L'expérience de Noisy développée
par une réflexion approfondie*

Au départ, Joseph Wresinski bâtit sa méthode de manière intuitive mais il a toujours à cœur de développer une réflexion autour de la pauvreté. Même quand il est à Noisy, il s'échappe de temps en temps pour continuer de s'informer des expériences menées ailleurs. Il réalise régulièrement des voyages d'études. Il veut aussi aller au-delà d'une réflexion personnelle. Aussi il se met en lien avec d'autres personnes réfléchissant sur la pauvreté, sans oublier les personnes vivant elles-mêmes la grande pauvreté. Dès 1961, il exprime que « la science [est] parente pauvre de la charité ». Il tient à participer à une meilleure connaissance des mécanismes qui génèrent et maintiennent les personnes dans la misère. Car il est évident pour Joseph que la grande pauvreté n'est pas un effet de la paresse ou de comportements individuels. Sa source première est à chercher dans le fonctionnement économique et social des différents pays du monde. Une phrase de Joseph Wresinski résume son orientation : « La misère n'est pas fatale, elle est l'œuvre des hommes, seuls les hommes peuvent la détruire ». Pour trouver des solutions, il est nécessaire d'étudier la pauvreté avec toutes les personnes compétentes en ce domaine. Joseph Wresinski demande à Alwine de Vos Van Steenwijk[2], de créer un

2. Diplomate de métier, en poste à Paris, elle rejoint Joseph Wresinski à Noisy en 1959. Après avoir créé le poste de recherche du mouvement ATD, elle aidera à créer des liens avec les institutions internationales. Présidente du mouvement international ATD Quart Monde de 1974 à 2002, Alwine de Vos Van Steenwijk a fondé avec le volontariat, en 1989, la Maison Joseph-

bureau de recherches sociales dès 1960, soit moins de quatre ans après son arrivée au camp de Noisy. Cet empressement montre à quel point le père Joseph est habité par le désir d'élaborer une science rigoureuse autour de la grande pauvreté. Le bureau de recherche créé au sein d'ATD permettra de mobiliser des chercheurs, des praticiens, des personnes vivant la précarité, et d'organiser des colloques réguliers. Les deux premiers colloques auront lieu à l'UNESCO sur le thème : « Les familles inadaptées ». Cette habitude se perpétue encore de nos jours, dans une dimension internationale, car la pauvreté et le Mouvement ATD sont internationaux !

Wresinski à Baillet-en-France, où ont été déposées dans un premier temps toutes les archives du fondateur puis, en 2005, celles du Mouvement, dans ce qui est aujourd'hui le Centre international Joseph-Wresinski.

Cette recherche s'est démultipliée à partir de 1970 au sein des Universités populaires. Joseph Wresinski crée la première à Paris. Rapidement elles se développent dans les différentes régions de France et dans les autres pays d'Europe où le Mouvement est présent. Là se croisent des personnes vivant la pauvreté et différents chercheurs et professionnels. Ces Universités populaires offrent des rencontres régulières, plusieurs fois par an. Ici les personnes vivant la grande pauvreté peuvent être entendues comme sources d'un savoir acquis par expérience de vie. Cela conduira ensuite, après la mort de Joseph Wresinski, à la mise en place du « croisement des savoirs » et du « croisement des pratiques » qui sont aujourd'hui les vraies marques d'ATD Quart Monde.

Joseph Wresinski a le don de mobiliser des intelligences scientifiques, le monde universitaire, autour du défi que repré-sente la misère. Il sait aussi ouvrir la forma-tion professionnelle à la prise en compte des situations de pauvreté. Cela permet aux professionnels (médecins, enseignants, policiers, acteurs du social...) de réfléchir à l'accès aux droits avec des personnes issues de la précarité et avec des personnes engagées auprès d'eux (volontaires d'ATD). Le mouvement ATD Quart Monde devient petit à petit expert sur ce thème de l'accès aux droits pour tous. Il se révèle tout autant mouvement d'action que mouvement de réflexion à partir d'un vivre-avec ce peuple constitué de familles pauvres, et à partir de leur parole.

Il impulse donc un autre rapport aux pauvres, basé essentiellement sur un parte-nariat, à partir d'une approche originale. Mais tout cela a été rendu possible grâce à la participation de nombreuses personnes qui ne viennent pas toutes du monde de la pauvreté ni de l'Église catholique.

Joseph Wresinski
Connaître pour aimer[3]

Au début de notre travail auprès des pauvres, nous ne savions pas que nous avions affaire à un problème universel, à un ensemble de gens qui, à travers les pays, vivent de la même manière une pauvreté qui, partout, a son origine dans les mêmes causes profondes. C'est à Noisy-le-Grand que nous avons découvert cette universalité d'une pauvreté dans laquelle nous retrouvons toujours les mêmes problèmes : faim, ignorance, misère générale, chômage, délinquance, prison, prostitution, mépris de la part de l'entourage. Dans cette pauvreté nous avons aussi découvert la dignité que

3. *Écrits et paroles aux volontaires*, éd. Saint Paul/ Quart Monde, 1992, t. I, p. 262-263.

tous les pauvres partagent et qui leur donne droit à ce que leurs valeurs soient reconnues.

À Noisy-le-Grand, nous sommes donc entrés dans le combat universel de tous ceux qui s'occupent d'une façon ou d'une autre de faire reculer la pauvreté. Dans notre travail nous rejoignons tous ceux qui ont foi dans l'homme ; non pas simplement dans l'individu mais dans l'homme inscrit dans les structures d'une communauté. C'est un combat de tous les temps et dont il ne faut pas s'étonner qu'il demeure difficile, mal compris, même par les populations dont nous nous occupons. À cause de notre foi dans l'homme le plus vulnérable, nous apparaissons comme des idéalistes à qui échappent les réalités charnelles des pauvres et les solutions immédiates à apporter à leur misère. Tous ne comprennent pas que nous avons avant tout mission de leur rendre honneur.

Le but principal de notre association est en effet de faire reconnaître l'honneur des plus pauvres, de les réintroduire en dignité. Cela n'est pas uniquement notre problème; c'est le problème de toute la société, mais nous pouvons être des catalyseurs. À un niveau plus immédiat, notre tâche se situe auprès des familles de Noisy-le-Grand et de la Campa. Cette tâche est possible parce que l'homme existe. C'est à nous de le faire connaître. Comment atteindre ce but?

Nous avons différents moyens: l'action, la pensée, la formation. [...]

4

Un rassembleur d'hommes
contre la misère

L'ampleur des projets de Joseph Wresinski suppose beaucoup de soutiens humains et quelques finances... En tant que prêtre catholique, très attaché à l'Église, profondément ancré dans sa foi en un Dieu qui s'est fait pauvre, il nous surprend en créant une association hors de la mouvance ecclésiale. Il nous interroge par sa manière d'accueillir des personnes de toutes confessions religieuses et croyances. En effet, le père Joseph ne crée pas une association caritative catholique de plus mais une association ouverte à tous (l'association sera plus tard reconnue aussi comme ONG). Ce choix a été accepté par son évêque. Cette liberté et confiance ont été le meilleur cadeau fait par l'Église catholique à Joseph, au Quart Monde et à l'ensemble de la société française et au-delà, au monde entier. Le père Joseph aime rappeler les mots du cardinal Marty : « Vous avez voulu créer un Mouvement où les hommes de toutes les confessions se rencontrent autour des plus pauvres. La meilleure manière de vous aider fut de l'accepter d'emblée et de vous laisser poursuivre votre chemin »[1]. L'Église a joué ici la carte de l'ouverture au monde dans l'esprit du concile Vatican II. Elle a laissé

1. Propos rapporté par Alwine de Vos van Steenwijk : *Le Père Joseph Wresinski*, éd. Quart Monde/Cerf, 2011, p. 154.

germer cette initiative en faisant confiance, en acceptant de ne pas en récupérer directement les fruits. Si elle n'a pas soutenu directement Joseph Wresinski, elle lui a donné un espace de créativité qu'il a saisi pour créer les structures de son association et les moyens de la faire vivre.

Finalement, le père Joseph a carte blanche et innove. Il refuse cette charité-assistance qui règne encore beaucoup dans l'Église, en particulier dans ses actions et associations caritatives. Il s'entoure de personnes qui ne se sentent pas toutes d'Église (même si beaucoup de chrétiens, catholiques et protestants, sont présents au départ). Il crée d'abord une association qui inclut les personnes et familles précaires. Ce premier essai d'association échoue à être reconnu officiellement, car trop de personnes étaient en difficulté avec la justice. C'est pourquoi le deuxième essai, l'association Aide à Toute Détresse (ATD), se compose à la fois de personnes précaires et autres : les amis qui soutiennent l'initiative de Joseph Wresinski. Dès le départ, ATD regroupe des personnes très diverses, tant par leur ancrage religieux que par leur ancrage professionnel et social. Dans l'internationalisation du mouvement qui arrive très vite, l'ouverture à des personnes provenant d'autres confessions religieuses s'accentuera.

Cette diversité a du sens pour Joseph car il s'agit de mettre en pratique ce que l'Évangile lui inspire : regrouper toute l'humanité à partir des plus pauvres, valoriser la rencontre du plus pauvre comme chemin d'humanité, et comme chemin vers Dieu au-delà de toute confession de foi. Joseph suit les traces de Jésus-Christ, se laisse conformer à la vie de Jésus-Christ et agit en cohérence avec ce qu'il vit dans sa foi. Il se situe dans une mystique apostolique[2] où son action est profondément reliée à sa vision de Dieu, à sa lecture des Évangiles. Le père Joseph donne une grande place à la naissance de Jésus dans des conditions de grande pauvreté. L'enfant Jésus attire à la fois les plus pauvres (les bergers) et les plus riches (les mages) ; les ignorants (les bergers) et les instruits (les mages) ; les juifs (les bergers) et les non-juifs (les mages). Cette scène inaugurale est racontée dans deux récits des Évangiles, celui de Luc pour les bergers (Lc 2, 1-21) et celui de Matthieu pour la venue des mages (2, 1-12). Pour Joseph Wresinski, la bonne nouvelle des

2. Cf. Charles-André Bernard évoque la figure de Joseph Wresinski parmi les mystiques apostoliques dans : *Le Dieu des mystiques*, Cerf, t. 3, 2000, p. 359-401.

Évangiles consiste en ce que les riches et les pauvres sont finalement rassemblés par cette reconnaissance du plus vulnérable : l'enfant né dans l'extrême pauvreté auquel Dieu s'est identifié par la naissance de Jésus.

Cette orientation fondamentale le conduit à fédérer des personnes pour lutter contre la misère avec ce peuple du Quart Monde. Trois réalités émergent au sein d'ATD : les « volontaires » ; les « militants » ; les « alliés » (appelés au début des « auxiliaires »). Cette structuration s'est réalisée finalement très rapidement, à partir de l'expérience de Noisy-le-Grand. Elle est toujours d'actualité.

Les volontaires

La spécificité du volontariat est l'engagement des personnes (volontaires) à vivre avec des très pauvres, dans leur quartier et même leur bidonville... En somme, Joseph demande aux volontaires de suivre le chemin qu'il a vécu lui-même en s'installant au camp de Noisy-le-Grand. Il leur demande de s'incarner dans le milieu où vivent les personnes en situation de précarité et d'apprendre d'elles. Il s'agit d'oser prendre le chemin d'une communauté de vie et de destin avec des très pauvres avec une volonté commune : détruire la misère.

Ce chemin de dépouillement est rude, mais Joseph ne veut pas de bénévoles qui ne feraient que passer et qui reproduiraient des schémas de charité-assistance. Il veut des personnes fidèles dans la durée et qui se mettent vraiment à « l'école des plus pauvres ». La durée est importante pour construire la relation de confiance avec des personnes précaires. Le père Joseph est persuadé que c'est la communion de vie qui prime pour avancer ensemble. À partir de cette expérience de vie commune dans la pauvreté, les familles et les volontaires peuvent travailler la main dans la main pour arrêter la misère.

Cette communauté de vie redonne espoir et dignité aux très pauvres. Puis le vivre-en-semble débouche sur des actions concrètes pensées avec les personnes pauvres. À Noisy cela passera par l'obtention de pompes pour l'eau, de l'électricité dans le camp, de la mise en place du jardin d'enfants, d'ateliers, d'une laverie, de foyers, etc. Mais cela ne suffit pas, il faut aussi mener une réflexion de fond sur la pauvreté. Par leurs écrits quotidiens, les volontaires reconstituent patiemment l'histoire de ces familles de Noisy, qui ressemble à celle de tant d'autres familles sous-prolétaires d'Europe. Ils constituent ce matériau indispensable à la réflexion et compréhension de la misère du peuple du Quart Monde.

Ces éléments sont mis en place dans ce temps fondateur de Noisy. Ils seront systématiquement vécus dans tous les autres lieux où les volontaires iront, en France et dans d'autres continents : vivre *avec*, agir *avec*, penser *avec* et à partir de l'histoire des personnes pauvres.

Très vite, Joseph comprend qu'il est important de soutenir les volontaires et de les former, même s'il leur laisse une grande liberté et leur offre toute sa confiance en les responsabilisant. Il met toute son intelligence et son cœur dans cet « enseignement » tiré de sa propre expérience et de sa réflexion. Il éclaire le rôle du volontaire autour de trois grands axes : révéler à la personne précaire ses valeurs et ses aspirations ; leur donner les moyens de répondre à leurs aspirations ; « faire le pont entre la société et l'homme en détresse »[3].

En tout cela, Joseph Wresinski confirme sa vision d'un autre rapport à ceux qui sont dans la très grande pauvreté et la nécessité d'un travail d'équipe. Le volontariat n'est donc pas la somme d'actions individuelles mais un travail collectif mûrement réfléchi. L'équipe permet aussi de veiller les uns sur les autres et de se soutenir. Elle suscite l'approfondissement, l'analyse « rigoureuse », le mot vient souvent dans la bouche de Joseph, sans mettre de côté le vécu affectif, les émotions qui parfois submergent les volontaires, tant les situations sont rudes...

3. *Écrits et Paroles*, t. I, p. 73

Très vite, d'autres lieux font appel à ce nouveau « volontariat » : des bidonvilles et cités d'urgence de la région parisienne (La Campa, La Cerisaie) puis les Émouleuses à Créteil, Les Grands Chênes à Versailles. Puis viennent les appels à l'international : Les USA (New York), la Grande-Bretagne, les Pays-Bas (Breda), etc. Tous ces appels pourraient laisser croire que les volontaires sont devenus nombreux. En fait, la taille du volontariat est toujours restée modeste face aux besoins (environ 400 dans le monde en 2018, dont 96 en France). Si le volontariat est indispensable, il est complété par le rôle des « militants » et des « alliés », et plus largement par les amis et les donateurs.

Les « militants »
Aujourd'hui les militants sont bien plus nombreux que les volontaires. Ce sont des

personnes issues de la grande pauvreté, y vivant parfois encore, qui se sont mises debout grâce au Mouvement ATD Quart Monde et qui servent activement pour éradiquer la misère. En France par exemple, il y a 2 786 militants pour 96 volontaires permanents (rapport moral 2018). Cela montre la capacité d'action de ceux qui retrouvent leur fierté d'homme et de femme après des années d'exclusion et d'humiliation. Le Mouvement ATD Quart Monde peut compter sur leur présence dans bien des actions : Université populaire, temps de formation de professionnels, participation à des recherches actions, à des colloques sur la pauvreté… Sur le plan des groupes locaux, ils peuvent tenir des permanences d'accueil, gérer la bibliothèque, participer à des actions de rue, être attentifs à plus pauvres qu'eux dans leur propre quartier…

Leur rôle est essentiel. Ils transmettent leur savoir de vie, leur connaissance intime de la pauvreté et pour certains, leur connaissance intime du Dieu crucifié : Jésus. Quelques-uns ont pu écrire l'histoire de leur famille, la voir publiée aux éditions Quart Monde ou ailleurs, ouvrir les yeux de bien des lecteurs sur la réalité d'une pauvreté qui demeure de génération en génération si la société ne réagit pas...

Tout cela a été rendu possible par les méthodes précises développées au sein d'ATD Quart Monde. Un savoir-faire est nécessaire pour respecter les personnes vivant la grande précarité. Il n'est pas facile de partager, d'échanger, entre personnes qui n'ont pas la même expérience de vie, et en particulier celle de la grande pauvreté. Les mots n'ont pas le même sens pour les uns et les autres. Les militants ont ici un rôle à jouer pour aider à se rencontrer.

La croissance du nombre de militants est signe de la fécondité du Mouvement ATD Quart Monde, de la justesse des idées et initiatives de Joseph Wresinski.

Les « alliés »

Les personnes les plus nombreuses au sein d'ATD sont les « alliés » bénévoles, c'est-à-dire ceux qui sont convaincus de la justesse du combat de Joseph Wresinski et acceptent d'aider à partir du lieu professionnel et social où ils sont insérés. Dès le départ, Joseph a reçu des aides importantes de ces personnes qui ne quittent pas leur milieu de vie. Une des premières « alliées » est particulièrement connue puisqu'il s'agit de Geneviève Anthonioz de Gaulle. Elle a aidé Joseph Wresinski à être en lien avec des ministères s'occupant du relogement des familles précaires. Elle l'a aidé par sa connaissance du monde politique. Elle devient d'ailleurs la présidente d'ATD Quart Monde de 1964 à 1998. Mais cette figure emblématique ne doit pas faire oublier la multitude des autres alliés qui ont côtoyé Joseph Wresinski.

Aujourd'hui encore ils participent à la vie du Mouvement à partir de leurs compétences. Leur implication permet aussi et surtout de développer un autre regard sur les très pauvres dans la société. Ils deviennent les défenseurs de la dignité des pauvres et de leurs droits. Le fait d'associer même ponctuellement des « alliés » à des sorties familiales, à des bibliothèques de rue, à des réflexions menées avec des familles en précarité... permet la rencontre de milieux qui se ne côtoient pas habituellement. Faire un petit bout de chemin ensemble fait tomber un certain nombre de clichés, préjugés et peurs. Toute la vie en société y gagne.

Le rôle spécifique de l'Église catholique

Pour Joseph Wresinski, « l'Église doit être l'Église des pauvres pour les pauvres ». Il rappelle souvent le message que le pape Jean XXIII a donné à la veille du Concile Vatican II : « L'Église se présente telle qu'elle est et veut être : l'Église de tous et particulièrement l'Église des pauvres[4] ». Le père Joseph ne critique pas l'Église même s'il est lucide sur ses limites. Aucun de ses écrits, à ma connaissance, ne fait écho d'une quelconque remontrance vis-à-vis de l'Église. Il se situe sur l'horizon de la mission

4. Message radio à tous les fidèles chrétiens à un mois de l'ouverture du concile œcuménique Vatican II.

de l'Église. Il la voit totalement vouée à vivre l'amour du Christ pour toute l'humanité et tout particulièrement pour les plus faibles. Chaque messe, chaque Eucharistie, rappelle cet amour et appelle à le répandre en vivant une réelle proximité et rencontre des plus vulnérables.

Joseph Wresinski donne personnellement ce témoignage d'Église en tant que prêtre habitant au cœur du camp de Noisy-le-Grand, avec des volontaires... Il vit pleinement son rôle pastoral en proposant de la catéchèse, des célébrations eucharistiques, des chemins de croix aux familles de Noisy, sachant que 80 % sont chrétiennes mais hors de tout chemin paroissial...

Il appelle de tous ses vœux la présence de religieux, religieuses au sein de la misère pour signifier plus nettement cet engagement de l'Église avec les pauvres. Certains répondent : des prêtres et des religieux(ses) deviennent volontaires permanents. Mais d'autres initiatives naissent en France, des lieux d'Église constitués spécialement de personnes en précarité avec d'anciens volontaires d'ATD Quart Monde : les sœurs de la Bonne Nouvelle (Toulouse), la Communauté du Sappel (près de Lyon), les groupes de la Fraternité La Pierre d'Angle (en différents lieux de France)... Ces réalités ne font pas partie du Mouvement ATD Quart Monde mais elles sont dans l'esprit développé par Joseph Wresinski, dans une véritable filiation. En quelque sorte, Joseph impulse indirectement des nouveautés au sein de l'Église catholique pour que la place et la parole des plus pauvres y soient mieux reconnues. Un changement d'esprit s'opère ainsi au sein même de l'Église de France qui apprend des plus pauvres, comme en témoigne l'événement *Diaconia* 2013, et l'extension des sessions théologiques et pastorales vécues avec les chrétiens en précarité du Réseau Saint-Laurent[5]...

5. Cf. le site du réseau pour plus d'informations [http// reseau-saint-laurent.org/].

Joseph Wresinski
Jésus rassembleur des foules[6]

Il est beaucoup question de foule dans l'Évangile. Pourquoi Jésus rassemble-t-il les foules autour de lui ? Ne nous y trompons pas : Jésus est passionné de l'Avènement du royaume de Dieu, de ce projet d'amour que Dieu, de toute éternité, propose aux hommes.

Ce projet d'amour, Jésus ne le voyait pas comme un système car le Fils de Dieu n'est pas un homme de système. Il ne cherchait pas à créer des structures, à établir un royaume sur des lois. Le Fils de Dieu est encore moins un idéologue, cherchant à tout prix à faire triompher ses idées. Mais si Jésus voulait que les plus pauvres

6. Homélie du 13 novembre 1981 à Fribourg (Suisse), titre donné par nous-même.

participent à la même table que tous les hommes, c'était d'abord pour que ceux-ci aient la joie :

- d'être ensemble ;
- de se connaître ;
- de vivre en solidarité ;
- d'être tous rassasiés.

et s'il se mêlait aux mendiants, s'il se contaminait avec les malades, les lépreux, s'il se compromettait avec les pécheurs :

- c'est parce qu'il voulait les ramener dans la Communauté, afin que celle-ci prenne en compte leur situation et les en libère ;
- c'est parce qu'il éprouvait une profonde douleur à la vue de ces hommes, de ces femmes, de ces enfants, qui se débattaient au milieu de difficultés sans nombre et qui étaient seuls à y faire face ;

– c'est parce qu'il souffrait profondément de voir tous ces hommes incapables de s'exprimer, à la merci des usuriers.

Ce sont les mêmes qui, aujourd'hui, dans nos cités, sont à la merci des saisies, des expulsions, sont menacés de coupure de gaz, d'eau, d'électricité, sont sans argent pour faire front à la maladie, aux imprévus...

Jésus était un homme de pitié devant la solitude des plus pauvres, c'est pourquoi, Il s'est identifié à eux, Il s'est totalement identifié à la peine, à l'espérance des hommes. C'est pourquoi, Il a assumé dans Sa propre chair leur espoir.

En somme, Il a contracté un engagement avec eux : celui de défendre les droits des souffrants, des exclus, des maudits... afin de les réintroduire dans la communauté

des hommes, car c'est toute la communauté
des hommes qui est invitée à se rassembler
autour des plus démunis. [...]

4

Un acteur politique prophétique

Joseph Wresinski n'a pas brigué de mandat politique comme a pu le faire l'abbé Pierre en devenant député et en siégeant au Parlement. Son action a été pourtant éminemment politique.

Dès le départ il considère que le combat contre la misère implique le monde politique et l'ensemble des citoyens. Il pense que la grande pauvreté concerne la justice sociale pratiquée dans chaque pays et, plus largement, la défense des droits de l'homme.

Une lutte pour plus de justice sociale

Quand il arrive au camp de Noisy, Joseph lutte pour améliorer le quotidien en allant interpeller le maire de la commune. Il lui rappelle ses devoirs : assurer à chacun l'accès aux services communaux. C'est très concret et suppose l'accès à l'eau, l'électricité, le service des ordures ménagères, l'assainissement... Joseph se bat pour que son « peuple » ne soit pas exclu des droits élémentaires des citoyens.

Par expérience, Joseph constate que la société choisit ses pauvres. L'État aide prioritairement ceux qui ont des revenus modestes mais constants : les « bons pauvres ». Ainsi les familles du camp ne sont relogées dans le logement social que lorsque l'homme a un travail stable. En revanche, ceux qui sont au chômage, avec des revenus aléatoires, les familles dont le père est parti en laissant seuls la mère et les enfants restent à attendre indéfiniment au camp malgré les promesses... Le sens de la justice sociale est ici bafoué puisque les plus vulnérables sont finalement les plus délaissés. Les plus pauvres restent à la marge des dispositifs sociaux...

De plus, la politique de relogement consiste à éparpiller les familles sans tenir compte de leurs liens, de leur réseau de relations tissé dans la misère. Cette politique a bien sûr ses avantages mais oublie deux données essentielles : l'importance de l'intégration sociale pour toute personne et la difficulté accrue pour des personnes précaires à créer des relations. Isoler une personne en grande pauvreté revient à ajouter du malheur au malheur.

Joseph va alors réagir en faisant le projet d'une cité familiale promotionnelle où le logement serait assuré avec tous les services communautaires qui ont été mis en route au camp de Noisy. Alors serait pris en compte l'ensemble des besoins de ces personnes de manière beaucoup plus communautaire. Pour cela, il va frapper aux portes des ministères avec l'aide de Geneviève Anthonioz de Gaulle, bien introduite dans le milieu politique. Il est difficile de convaincre de l'intérêt de ce projet car il est peu habituel de prendre les problèmes de manière aussi globale. Joseph Wresinski y parvient malgré tout grâce à l'influence de celle-ci. Le projet est inscrit dans un plan d'équipement sanitaire et social, dans un contexte de priorité au relogement. Le résultat n'est pourtant pas à la hauteur de ses espérances. Seulement soixante-dix familles pourront

être relogées dans cette cité promotionnelle achevée en 1970, année de la ferme-
ture du camp de Noisy. Le combat politique
va s'élargir...

La prise en compte de l'ensemble
des droits de l'homme
À force d'écouter, d'analyser ce que
vivent les personnes du camp de Noisy et
d'ailleurs, Joseph Wresinski et les volontaires perçoivent à quel point tous les
problèmes sont liés. Il est impossible de
séparer les questions de santé, d'éducation,
de logement, de travail, d'accès à la culture
et à la vie citoyenne... Joseph considère la
misère comme exclusion de la vie sociale,
mais elle se révèle surtout atteinte à tous
les droits fondamentaux humains. Si nous
ne protégeons pas les droits humains, c'est
l'humanité entière qui en souffrira. Joseph

montre que pour l'intérêt de tous, nous devons partir des plus pauvres et les considérer comme acteurs de la défense des droits de l'homme. Cette nouvelle approche de la grande pauvreté devient politique dans le sens où elle concerne l'ensemble de la société, du monde, au-delà de toute option partisane marquée à droite ou à gauche. La plaque posée au Trocadéro à Paris le 17 octobre 1987 en témoigne : « Là où des hommes sont condamnés à vivre dans la misère, les droits de l'homme sont violés. S'unir pour les faire respecter est un devoir sacré »[1].

1. La plaque a été posée avec Joseph Wresinski, lors du rassemblement des défenseurs des droits de l'homme, le 17 octobre 1987. En 1992, l'Assemblée générale des Nations unies proclamera le 17 octobre, journée internationale de l'élimination de la pauvreté. Elle est célébrée à cette date depuis 1993.

Dans ses réunions avec les volontaires, Joseph développe sa perspective, montre l'importance d'une « politique d'ensemble »[2] où les plus pauvres sont le pivot de toutes les activités sociales, culturelles et même religieuses. Alors l'ensemble de la population locale en sera bénéficiaire. L'épisode très particulier de « mai 68 » va donner l'occasion de préciser sa vision politique.

En 1968, le chômage s'accentue en France, les plus pauvres en pâtissent tout particulièrement. Surviennent les difficultés de ravitaillement, de transport et les grèves générales de mai. Les bidonvilles et les cités d'urgence en souffrent beaucoup. Joseph montre alors sa grande créativité. Il organise des comités de partage, et

2. Cf. *Écrits et Paroles*, t. I, réunion de janvier 1967, p. 550.

surtout des cahiers de doléances comme en 1789. Avec les étudiants en grève, Joseph valorise le savoir partagé : « le Savoir dans la rue ». Malgré toutes leurs difficultés, les plus pauvres deviennent ici des citoyens à part entière. Leurs cahiers de doléances renvoient et corrigent en quelque sorte ce qui s'était passé lors de la Révolution française où les plus pauvres n'avaient pas eu la parole. Donner publiquement place et parole à cette population – le Quart Monde – a été un acte très fort, très politique. Et cette place sera défendue par Joseph et le Mouvement jusqu'à aujourd'hui.

La place des plus pauvres
dans les instances de décision

Grâce à l'appui d'alliés bien introduits dans le monde politique, grâce à la dynamique de recherche sur la grande pauvreté voulue dès le départ par Joseph Wresinski, le Mouvement ATD est très vite reconnu expert dans le domaine. Non seulement Joseph est régulièrement consulté sur cette question, notamment sur la manière de gérer des bidonvilles, mais le Mouvement est intégré dans certaines instances nationales et internationales à titre consultatif. La liste en est impressionnante et montre bien la reconnaissance internationale d'ATD : l'Unesco, le BIT (Bureau International du Travail), le Conseil de l'Europe, l'Unicef, le Comité économique et social et la Commission des droits de l'homme de l'ONU...

Dans le contexte français, Joseph est nommé comme « personnalité qualifiée » au conseil économique et Social en 1979. Son influence a permis à cette instance de s'atteler à la question de la grande pauvreté en France. Travail de longue haleine où il mobilise le Mouvement ATD Quart Monde, les volontaires et les familles, les Universités populaires existantes sur tout le territoire français. Tout cela aboutit en 1987 au rapport connu sous le nom de « rapport Wresinski » et à la mise en place du RMI (Revenu minimum d'insertion) tout juste quelques mois après la mort de Joseph survenue le 14 février 1988. Ce rapport va officialiser une définition de la pauvreté en termes de violation des droits de l'homme.

Partout, Joseph s'est fait le porte-parole des pauvres, à partir de leur expérience ; mais il a aussi négocié des méthodes de travail permettant leur participation active aux dossiers et leur prise de parole en direct. Joseph a toujours insisté sur la dimension du partenariat. Cette place demeure toujours fragile. Le Mouvement ATD continue de la promouvoir en interne et dans la société.

L'humanité transformée par les pauvres

La vision de Joseph Wresinski possède une dimension profondément prophétique : Il nous fait entrevoir une société, un monde, une humanité, transformés par les plus pauvres eux-mêmes. En prenant l'option de les rencontrer, de les écouter, d'en faire des acteurs de la vie citoyenne et des défenseurs des droits de l'homme, Joseph provoque un changement de mentalité et de relations sociales. L'utopie d'une société ouverte à tous, d'un monde réconcilié, se réalise ici à partir des plus vulnérables, des plus exclus. Cette utopie n'est pas facile, elle est ancrée dans la réalité la plus terrible qui soit, la misère, mais elle dit le renversement possible de cette misère-exclusion en une vie faite de liens solidaires.

Le message évangélique est là, vécu dans cette attention aux plus vulnérables, dans une alliance avec eux. Si Dieu n'est pas évoqué, il est présent dans le Mouvement à travers des êtres qui se donnent mutuellement vie. Joseph, à la fin de sa vie, lors de son hospitalisation en 1988, explique aux volontaires que la spiritualité est essentiellement « le sens de l'autre, une sorte de communion à l'autre qui fait que vraiment l'autre, plus il est petit, plus il est faible, plus il est pour nous le plus important, le plus grand »[3]. Pour les chrétiens ce sens spirituel se déploie et se fonde dans la contem-

3. Message adressé aux volontaires, enregistré par le père Joseph Wresinski à l'Hôpital Foch, le 8 février 1988, à la veille de son opération. Ce message est connu aussi sous l'appellation « lettre cassette », il a été publié peu après sa mort par l'hebdomadaire *La Vie*. Disponible à l'adresse [https://www.joseph-wresinski.org/fr/aux-volontaires/].

plation de Jésus-Christ fait pauvre. Joseph Wresinski pensait même qu'il y avait besoin d'une mystique chrétienne pour devenir « volontaire », pour durer dans la misère. Cette mystique suppose d'avoir un esprit profondément contemplatif et de devenir un être de communion avec les pauvres et Jésus-Christ, au cœur même de l'action. Pourtant, Joseph a toujours soutenu une notion de spiritualité élargie. Dès 1966, il affirme : « La spiritualité, c'est vivre avec quelqu'un. Ce quelqu'un peut être l'homme ; ce quelqu'un peut être Jésus-Christ »[4]. Pour lui, il est possible de vivre une mystique du pauvre en dehors de la foi chrétienne.

---

4. Lors de la réunion des membres des Clubs Science et Service accueillis par les volontaires au camp de Noisy-le-Grand, décembre 1966. *In* : *Écrits et Paroles aux volontaires*, t. I, p. 541.

Le père Joseph a vécu pleinement ces deux axes, le sens de l'autre et le sens de l'Autre, dans une communion intime aux pauvres et au Jésus « misérable ». Sa spiritualité chrétienne est profondément réconciliatrice parce qu'elle est centrée sur « les plus pauvres » comme chemin vers une humanité solidaire, signe du royaume de Dieu. Si ATD Quart Monde n'est pas un Mouvement catholique, il demeure un Mouvement profondément évangélique qui travaille le cœur des hommes et les liens de fraternité. ATD Quart Monde est aussi un lieu de démocratie participative qui offre place à chacun sans exclusion. Il est ferment pour notre monde.

Joseph Wresinski
Les principes de base
du Mouvement ATD Quart Monde

Tout homme porte en lui une valeur fondamentale inaliénable qui fait sa dignité d'homme. Quels que soient son mode de vie ou sa pensée, sa situation sociale ou ses moyens économiques, son origine ethnique ou raciale, tout homme garde intacte cette valeur essentielle qui le situe d'emblée au rang de tous les hommes. Elle donne à chacun le même droit inaliénable d'agir librement pour son propre bien et pour celui des autres.

L'existence, dans toutes les sociétés, d'un quart-monde (personnes, familles et groupes) incapable de manifester cette valeur aux yeux de tous, prouve que tous ne reçoivent pas les mêmes moyens de l'utiliser, consciemment, comme source d'énergie, point de départ de leur développement, justification de tous leurs droits d'homme.

Une société fondée sur cette conviction et cette analyse, accordera nécessairement aux minorités les plus défavorisées la primauté en toute chose. Leurs intérêts seront les premiers et les mieux servis, afin d'égaliser leurs chances d'intégrité de la personne, d'autonomie et de participation à la vie des autres. Ferment de transformation de toute société, ils seront les experts de nos projets de civilisation et leur promotion sera la mesure de notre propre progression vers une société réellement égalitaire.

Le mouvement Aide à Toute Détresse Quart Monde a opté pour un projet de civilisation (et, par conséquent, de société) comportant le renversement total de nos priorités, le réajustement de tous nos moyens au profit du quart-monde, et, en particulier, des plus défavorisés parmi ses membres.

La réalisation de ce projet repose sur un volontariat militant, s'efforçant de partager avec le quart-monde les moyens les plus éprouvés d'accès à la parole et à la culture. Ce volontariat poursuit le double objectif de **permettre aux hommes du quart-monde de développer toutes leurs virtualités, et de devenir, à leur tour, militants pour les droits des plus défavorisés.** Ils assumeront ainsi pleinement leur rôle de bâtisseurs de société.

(Les premières options de base ont été rédigées en 1966 par Joseph Wresinski et six des premiers volontaires permanents.

Ce premier texte a ensuite été complété au cours des Assises du Volontariat en 1974 pour donner les options de base présentées ici.)

L'après...

La fécondité d'une œuvre se manifeste dans les traces laissées par un fondateur après sa mort. Plus de trente ans ont passé, le Mouvement ATD continue d'être un lieu qui rassemble des personnes en grande pauvreté, des volontaires, des militants de tous pays et des alliés de tous horizons sociaux. Ceux qui ont connu Joseph Wresinski témoignent encore de l'importance qu'il a eue dans leur vie et s'efforcent de diffuser sa pensée, son mode d'action, ses analyses de la grande pauvreté et ses propositions pour la combattre. Dans l'Église catholique, certains se mobilisent en faveur de sa béatification.

L'essentiel demeure dans le changement de regard apporté par Joseph Wresinski sur les très pauvres, changement qui progresse et transforme petit à petit le mode d'action d'autres associations caritatives. Ce changement de regard interpelle les politiques sociales et les professionnels qui ont à cœur de progresser dans la lutte contre la grande pauvreté. Bien sûr, cette évolution est lente, parfois désespérément lente devant l'immensité de la tâche et les résistances. Elle reste pourtant présente et attend son déploiement.

Assurément, l'apport de Joseph Wresinski et les recherches qu'il a su susciter marquent un tournant décisif dans l'approche de la grande pauvreté et dans la manière d'être en rapport avec des personnes marquées par la misère. Sa vision de la pauvreté comme atteinte à l'ensemble des droits fondamentaux de tout homme, sa perception de la dignité des très pauvres, ouvrent des perspectives ambitieuses pour bien des années. Le Mouvement ATD Quart Monde relève ce défi au fil de ses actions et recherches ; il continue d'être reconnu pour son expertise de la grande pauvreté, au plan mondial.

« Les pauvres sont nos maîtres » disait saint Vincent de Paul. Joseph Wresinski a repris cet adage en en complétant le sens. S'ils sont les premiers à servir (Vincent de Paul), ils sont aussi les premiers à écouter pour chercher avec eux comment combattre la misère : ils ont la connaissance qui nous manque, celle du vécu de la misère. Le père Joseph ajoute pour l'Église qu'ils ont une connaissance toute particulière du Fils de Dieu fait pauvre. Aussi pour les chrétiens, les pauvres se révèlent doublement nos maîtres... Joseph Wresinski est le témoin exemplaire d'un nouveau type de spiritualité centrée sur les pauvres.

Sources

Jean LECUIT, *Un autre savoir : À l'école des plus pauvres*, éd. Quart Monde, 1993.

Thierry MONFILS, *Le père Joseph : sacerdoce et amour des pauvres*, Lessius, 2017.

Alwine de Vos Van STEENWIJK, *Le père Joseph WRESINSKI : la voix des plus pauvres*, Cerf/ éd. Quart Monde, 2011.

Joseph WRESINSKI, *Paroles pour demain*, p. 23, Desclée de Brouwer, 1986.

Joseph WRESINSKI, *Écrits et paroles aux volontaires*, éd. saint Paul/Quart Monde, tome 1992, t. II 1994.

Joseph WRESINSKI, *Les pauvres, sont l'Église*, Cerf/Quart Monde, [1983] 2011.

Joseph WRESINSKI, *Les pauvres, rencontre du vrai Dieu,* Cerf/Quart Monde, [1986] 2005.

Joseph WRESINSKI, *Telle est l'Eucharistie,* Cerf/Quart Monde, 2005.

Le croisement des pratiques : quand le Quart Monde et les professionnels se forment ensemble, éd. Quart Monde, 2002.

La démocratie à l'épreuve de l'exclusion : quelle est l'actualité de la pensée politique de Joseph Wresinski ? Actes du colloque international, Paris, 17-19 décembre 2008, vol. I et II, Éd. Quart Monde, 2010.

Ressources du Centre Wresinski consultables sur [https://www.joseph-wresinski.org/fr/].

DVD : « Joseph : L'insoumis », 2012, édition vidéo France Télévisions Distribution.

Table des matières